Moviendo montañas

Jennifer Degenhardt

as told by
Chelsea Southard

ISBN: 978-1-7333464-7-4

For Chelsea and Phoenix.
The story is yours, so the book should be for you, too.

CONOCE A CHELSEA (Y FENIX)

Chelsea Southard is an artist and the founder of the Unus Mundus Project. She and her bike, The Phoenix, have embarked on a journey around the world creating relationships, building art, sharing story, inspiring others and pushing borders. Though seemingly a travel excursion this journey is now a lifestyle, a lifestyle in which she continues to create outside of her studio as she moves through life.

I met Chelsea in Guatemala where she was hard at work creating art and community in El Hato, just outside of the colonial city of Antigua. We met for dinner after she was to deliver a few propane tanks to her project site - on her bike AND in the rain! I knew this woman was going to be so interesting and cool just by reading her Facebook page and her website. I just didn't know HOW interesting and cool. The tale that she told me which ultimately became this story, *Moviendo montañas*, was only one that she told me the evening we met. I look forward to hearing so many more!

Chelsea's philosophy is one that resonates with me, especially the oneness. Her story continues to inspire me, and I hope it will inspire you, too.

Patreon: Unus Mundus Project
Instagram & Facebook: Unus Mundus Project

Proceeds from the sale of this book will go to Las Manos de Christine, www.lasmanosdc.org, a nonprofit in Guatemala which is currently focusing its efforts on continuing education, library services, health and nutrition and early childhood education in El Hato, Guatemala, a small community just outside of Antigua. Chelsea spent much of her time in El Hato building community and constructing her El Vaho, a ceremonial sweat lodge.

Read about Chelsea and all of her projects on her website, www.unusmundusproject.com.

Capítulo 3
La última conversación

Esa noche la conversación con Cody es horrible.

—Cody, voy a viajar con Fénix por todo el mundo —digo nerviosa.
—¿Qué?
—Sí. Voy a viajar en mi motocicleta por muchas partes del mundo. Quiero conocer a más personas. Quiero conocer más culturas y quiero conocer más países.
—Yo no quiero viajar a otros países. Me gusta este país —dice Cody molesto[6].
—Voy a conocer mucho más de este mundo.
—¿Vas a ir a otros países? ¿Sin trabajo? ¿Qué vas a hacer? No es buen plan. No quiero ir.
—Excelente, porque no te invité[7].
—¿Qué? —dice Cody enojado[8].
—Voy sola. Voy a viajar con Fénix sola —le respondo menos nerviosa ahora.
—¿Tienes un plan? Va a ser imposible... Tengo miedo. ¿No tienes miedo?

---

[6] molesto: annoyed.
[7] no te invité: I didn't invite you.
[8] enojado: angry.

—Sí, tengo un plan. Y yo..., yo no tengo miedo.

No es verdad. No tengo un plan exactamente, pero...

—Eres una muchacha estúpida con una idea estúpida. No es posible...
—Cody, es posible. Voy a viajar con Fénix. Y la primera parte de mi plan empieza mañana —respondo más segura[9] ahora.
—Eres idiota. No tienes un plan.
—Sí, lo tengo. Mañana voy a Pennsylvania. Necesito visitar a mi familia y necesito prepararme para el viaje. Mañana empiezo con mi plan. Adiós, Cody —le digo muy segura ahora.

Organizo todas mis cosas en ese momento porque por la mañana me voy.

---

[9] segura: confident.

Capítulo 4
El empiezo

Es jueves. Monto en Fénix y salimos de San Francisco. A mí me gusta la ciudad con todas sus atracciones turísticas: el Golden Gate, los tranvías, las casas victorianas y, claro, la niebla[10]. Pero necesito regresar a casa de mi familia, y mi familia vive en Bethlehem, Pennsylvania. Fénix y yo tenemos que viajar casi tres mil millas para llegar. Bethlehem está en la parte este del estado de Pennsylvania, a una hora y media al norte de Philadelphia y a una hora y media al oeste[11] de la ciudad de New York. La ciudad tiene más o menos 75 000 habitantes y tiene industria de acero[12] y de construcción naval[13].

Yo soy mecánica y, gracias a Bethlehem y la influencia de la ciudad, también soy soldadora[14]. Soy artista y soy creadora de obras

---

[10] niebla: fog.

[11] oeste: west.

[12] acero: steel.

[13] construcción naval: shipbuilding.

[14] soldadora: welder.

de arte[15] grandes. Soy música también; guitarrista en particular. Tengo muchos talentos.

Pero ahora también soy viajera[16]. Y necesito compartir con mi familia y mis amigos mi plan.

Para viajar de San Francisco a Pennsylvania voy a tener que pasar cada noche en un lugar diferente. Miro los contactos en mi teléfono y pienso en los amigos que tengo en cada estado. Después de salir de California, voy a pasar por Nevada, Utah, Colorado, Nebraska, Iowa, Illinois, Indiana y Ohio antes de llegar a Pennsylvania.

Escribo un *post* en Instagram:

«¡Amigos! Fénix y yo viajamos por los Estados Unidos. Salimos de California y vamos al este, a Bethlehem, PA. ¿Quieren invitarnos a pasar una noche? Escríbanme[17]».

---

[15] obras de arte: works of art.
[16] viajera: traveler.
[17] escríbanme: write me.

Casi inmediatamente recibo mensajes de amigos.

Sandra (@spd327), en Nevada, escribe: «¡Claro! Ven[18] a visitarnos en Reno».

Diana y Blake (@flowershere) escriben: «Estamos aquí en Ogden».

Olivia (@coloradogurl) escribe: «¡Sí! ¿Vas a pasar por Fort Collins?»

Mike y Matt (@husbands2017) escriben: «¡Queremos verte! Estamos en Lincoln».

Un amigo (@padredehijos) en Iowa escribe: «¡Por favor! Pasa por Belmond. Está lejos de la autopista[19], pero...».

Recibo muchos mensajes más. Tengo muchos contactos.

Estoy muy feliz. Tengo amigos en muchas partes de los Estados Unidos. Estoy muy contenta. Otra vez, voy a tener la oportunidad de explorar este

---

[18] ven: come!

[19] autopista: highway.

magnífico país. Y voy a tener la oportunidad de conocer a más gente.

Capítulo 5
El proyecto

Durante dos semanas viajo por los Estados Unidos. Paso tiempo con amigos en estados diferentes. Son personas generosas y tienen muy buenas ideas sobre mi plan.

Olivia es una amiga de la universidad en Boston. Ahora vive en Fort Collins, Colorado. Paso dos noches con ella porque hay una tormenta de nieve, aunque no es normal para octubre. No es posible viajar con Fénix con mucha nieve.

Una mañana Olivia me da una buena idea.

—Me gusta tu idea de viajar por el mundo. Es muy original y ambiciosa. Pero ¿cómo vas a ganar dinero?

—Voy a trabajar como mecánica. Soy buena mecánica.

—Sí, eres fenomenal, pero es un trabajo muy físico. Si realmente quieres crear obras de arte, ¿vas a tener tiempo para reparar motocicletas?

—Olivia responde.

Los comentarios de Olivia me hacen pensar. Ella tiene razón. ¿Cómo voy a ganar más dinero?

—¡Tengo una idea! Tú puedes grabar[20] audiolibros otra vez. ¿Cómo se llama esa compañía...?

—WeReadForYou. ¡Sí, Olivia! ¡Qué buena idea! Voy a mandar un correo a Charles ahora. Es, o fue[21], el jefe de producción. Él puede tener ideas.

Ahora estoy más tranquila. Sé que puedo ganar dinero como mecánica, pero Olivia tiene razón: es un trabajo duro[22]. Pero con mi computadora y otro equipo[23] puedo grabar libros para ganar dinero.

*****

Organizo mis cosas en Fénix y hablo con Olivia esa mañana.

---

[20] grabar: to record.

[21] fue: it, s/he was.

[22] duro: hard.

[23] equipo: equipment.

—Liv, gracias por todo. Gusto verte después de muchos años.

—Te quiero, amiga. Mucha suerte en el viaje y mucha suerte con el plan. ¿Vas a crear una página web?

—Claro. Voy a llamarla «Unus Mundus».

—Es un nombre interesante. ¿Qué significa?

—Un mundo. Con más colaboración en el mundo... pues[24]... todas las personas pueden tener más amigos —le digo con una sonrisa grande—. Más amigos. Como tú y yo. Gracias por todo, Olivia. Te quiero también, amiga.

Preparo mi casco, y Fénix y yo vamos hacia el este.

---

[24] pues: well.

Capítulo 6
Bethlehem

El tiempo que paso con Fénix es muy bueno para mí. Necesito tiempo para pensar. No quiero tener otra relación con una persona como Cody. Cody no es bueno, o no es bueno para mí. Normalmente soy independiente y fuerte, pero con él...

No importa. Ahora tengo un nuevo plan para mi vida. Y Cody no es parte del plan. Fénix, sí. Cody, no. Vamos a ir a México primero. Y de México, vamos a ir al sur por Centroamérica y luego a Sudamérica. Pero antes, Fénix y yo tenemos que pasar tiempo en Bethlehem con mi familia. Necesito preparar muchas cosas.

*****

Por fin llego a mi estado, el estado de Pennsylvania. Fénix y yo ya tenemos quince días en camino. Casi tres mil millas. Y cuando llegamos a Pittsburgh, todavía tenemos casi trescientas (300) millas más hasta Bethlehem. Cinco horas más en motocicleta, depende del tráfico. Pero llegamos a la hora de más tráfico en Pittsburgh.

Para pasar el tiempo, escucho música y pienso en mi ciudad natal[25] de Bethlehem. La ciudad es una inspiración para mí. La ciudad tiene, o tenía[26], mucha industria de acero y cemento. En la primera parte del siglo XX[27] la industria hacía[28] un barco[29] cada día durante el tiempo de las guerras[30]. ¡Un barco! ¡Cada día! Y aunque no hay producción de acero y no hay producción de barcos como antes, el espíritu de la ciudad es una inspiración para mí.

Hablo con Fénix durante las últimas[31] doscientas (200) millas.

---

[25] ciudad natal: hometown.
[26] tenía: it had.
[27] siglo XX: 20th century.
[28] hacía: it made.
[29] barco: ship.
[30] Bethlehem, Pennsylvania, was known for shipbuilding during WWI and WWII. At the height of production, a brand-new ship was launched every day.
[31] últimas: last.

—Fénix, ¿Qué piensas? Bethlehem es mi ciudad natal. No es una sorpresa que me guste la mecánica y la soldadura[32], ¿no?

Fénix no responde. Tenemos una relación excelente. Es completamente diferente de la relación con Cody. Fénix me respeta. Y yo a ella.

Después de más de cinco horas, veo Bethlehem a lo lejos. Antes de ir a la casa de mis padres, voy a ir a Potts' para tomar un perro caliente. Potts' tiene perros calientes excelentes. Son muy famosos y ricos. Me encantan. Y tengo mucha hambre.

---

[32] soldadura: welding.

Capítulo 7
La despedida

Llega el día de empezar el viaje por el mundo.

Otra vez, organizo todas mis cosas para el largo viaje. Hablo con mis padres antes de irme.

Mi padre me pregunta:

—¿Tienes el GPS[33]? Si hay una emergencia puedes contactarnos.

—Sí, papá. Gracias. Es un aparato necesario para mi viaje —le digo—. Gracias por comprarlo.

—Hija, estoy muy orgulloso[34] de ti. Tu madre y yo estamos muy orgullosos. Tienes un gran plan.

—Gracias, papá. Y gracias, mamá. Los quiero mucho. No puedo hacer este viaje sin su ayuda —les digo.

Mi mamá está orgullosa de mí, pero es una madre. Ella está un poco nerviosa también.

—Cuídate, hija —me dice.

—Claro, mamá. Gracias por la ayuda.

---

[33] GPS: global positioning system.

[34] orgulloso: proud.

Les doy un abrazo grande a mi mamá y a mi papá. Monto en Fénix y salgo de Bethlehem.

Primer destino: México.

Capítulo 8
México: la frontera

Estoy aquí en la frontera[35] con México. Es un proceso largo, pero no muy difícil. Y en un instante, estoy en otro país, el primer país de mi ruta.

Estoy en Ojinaga, en el estado de Chihuahua. Pienso ir primero a la ciudad de Chihuahua y luego hacia el sur para llegar a Copper Canyon en el estado de Chihuahua también. El nombre de la región viene del color de los cañones. Por las fotos que veo por Google, es un área excelente.

Estoy sola. No es la primera vez. No estoy nerviosa, pero..., pues, no hablo mucho español. Sé las palabras «comida», «baño», «agua», «cerveza», «dinero» y «banco». ¿Qué más necesito? ¡Ja, ja!

—OK, Fénix. Estamos aquí. Gracias por tu ayuda. Tenemos un viaje de ocho horas para llegar a

---

[35] frontera: border.

Creel. Allí pasamos la noche antes de entrar en Copper Canyon.

Fénix no dice nada, pero estoy feliz de estar con mi motocicleta. Va a ser un duro viaje de ocho horas. El clima es horrible. No llueve, pero en el desierto hace calor. Mucho calor.

Para este viaje maravilloso, decido investigar primero los lugares que quiero visitar. Y después hago el plan para el viaje. Voy a tomar las rutas más pequeñas, porque, en mi opinión, son las rutas más interesantes.

—Fénix, vamos a Creel primero. Es un pueblo pequeño en el área de Copper Canyon.

Monto en Fénix otra vez y empezamos esta parte del viaje.

*****

Viajamos por una hora y necesito un descanso. Hace un calor horrible y sudo[36] mucho. Veo una gasolinera Oxxo después de viajar una hora.

---

[36] sudo: I sweat.

Bajo de Fénix y le digo: «Espera, voy a entrar para comprar agua».

Entro en la pequeña tienda. ¡Fantástico! Hay aire acondicionado.

Me quito la chaqueta y me siento en el piso[37]. Y pienso: «¡Ay, Dios! Estoy superfeliz con el aire acondicionado».

En ese momento entra en la gasolinera un hombre mexicano con barba y bigote, y muchos tatuajes. ¿Debería[38] estar nerviosa? No sé, pero no me importa. Estoy feliz de estar viva y con el aire acondicionado.

—¿Qué pasa? —me dice con una voz antipática.

¿Qué hago yo? No hablo español.

—Ay, Alejandro. No seas así[39]. Hermana, ¿qué pasa? —me dice una mujer que está con el hombre.

---

[37] piso: floor.
[38] debería: I must/must I?
[39] no seas así: don't be like that.

Veo que estas dos personas tienen motocicletas también. La mujer es simpática, amable y habla con entusiasmo.

—¿Estás bien? —me pregunta la mujer con pelo rubio.

Comprendo un poco español, pero no hablo mucho.

—*Yeah. I'm just hot* —le digo.

Ella mira al hombre y espera una traducción. El hombre traduce:

—Tiene calor.

El hombre entiende inglés. Él también es en realidad muy simpático.

La mujer se llama Kettzy. Ella es motociclista y es muy amable. Ella me habla mucho en español. No la comprendo mucho. Pero después de una conversación breve[40] decido continuar el viaje con ellos.

---

[40] breve: brief, short.

El hombre se llama Alejandro. Él me traduce las palabras de Kettzy.

—¿Qué haces en tu viaje? —me pregunta Alejandro de parte de Kettzy[41].
—Quiero conectar a las personas con el arte —les digo.

Kettzy empieza a hablar mucho y muy rápido en español. Después de unos minutos, Alejandro me explica:

—*We are part of a* grupo de motociclistas. *We can help you*.

Alejandro y Kettzy son de un grupo de motociclistas. Se llaman los Mañosos Riders. Ellos son mi primera conexión humana en mi viaje.

Me gusta México. El calor es horrible, pero me gusta México.

---

[41] de parte de Kettzy: on Ketty's behalf.

Capítulo 9

Nuevos amigos

Paso tres días con Kettzy y Alejandro. Conozco a muchas personas de los Mañosos y, después de varios días, somos amigos. La gente mexicana —especialmente de los Mañosos— es supersimpática.

Mañana me voy para Copper Canyon. Quiero explorar el cañón. Hay un camino en particular...

Esa noche después de la cena en su casa, Kettzy me pregunta sobre la próxima parte de mi viaje.

—¿A dónde vas mañana? —dice Kettzy.
—Voy a explorar Copper Canyon. El camino Urique-Batopilas-Guachochi en particular —le digo.
—Ten cuidado[42], hermana. Yo sé que eres buena motociclista y tienes mucha experiencia, pero esa área de México es peligrosa.
—¿Por qué? —le pregunto—. ¿Por las personas?

---

[42] ten cuidado: be careful.

—No. No hay problema con las personas.

—A veces hay problemas con los caminos cuando hay mucha lluvia —dice Alejandro.

—Está bien. Gracias por la información. Y Kettzy, gracias por todo. Eres una amiga fenomenal. Y Alejandro, gracias por la ayuda con Fénix.

—Por nada. Cuídate.

Al día siguiente[43], preparo mi casco, y Fénix y yo vamos hacia el sur.

---

[43] al día siguiente: the next day.

Capítulo 10
Un problema

Fénix y yo viajamos unas dos horas para llegar a Copper Mountain y el camino de Urique-Batopilas-Guachochi. Estoy muy emocionada por explorar esta parte del cañón.

Pero hay un problema.

No es posible pasar la primera parte del camino. Pero con la información que tengo, sí es posible pasar la segunda parte, de Batopilas a Guachochi. Primero Fénix y yo tenemos que cruzar un río.

El río en esta área del cañón está muy alto porque hay mucha agua. Miro el río y no veo un lugar para cruzar. Veo un puente nuevo en construcción, pero no está terminado. Pero hay otro puente para las personas. Decido cruzar este puente primero con mi equipo y después con Fénix.

—Fénix, ¿estamos locas? Este puente no es muy grande. Pero quiero explorar la otra parte del cañón. ¿Estás lista? Vamos.

Fénix no responde. Es una buena amiga.

El puente es muy pequeño. Cruzar el puente con el equipo es fácil. Pero cruzar con Fénix es más difícil. Fénix es grande y el puente es pequeño. Y debajo del puente hay mucha agua y corrientes[44] fuertes.

—Ten cuidado, Chelsea. Ten cuidado —me digo muchas veces.

Necesito mucha concentración para cruzar. Voy muy despacio. Toma mucho tiempo. Es difícil.

Casi llego a la otra parte del puente y veo algo grande en la distancia. Es una cruz. Una cruz enorme. ¿Es real?

La cruz es una distracción y pierdo la concentración.

---

[44] corrientes: currents.

En el instante de perder la concentración, Fénix va hacia la derecha y casi se cae al río.

Pero en el último momento puedo levantar mi moto y Fénix y yo llegamos al otro lado del puente.

Descansamos unos minutos. Sudo mucho. Hace calor, pero no sudo por el calor. Sudo por estar nerviosa.

—Fénix, ¿casi, ¿eh? No necesitamos más problemas. Pero esa cruz... ¿Qué es?

Busco la cruz en las montañas, pero no veo nada.

—¿La cruz es real? —me pregunto (y pregunto a Fénix)—. No sé. Pero no quiero estar preocupada. Es un día excelente para viajar en mi motocicleta.

Ahora está nublado, pero hace un poco de sol a veces.

Organizo todas mis cosas en Fénix otra vez y salimos hacia un día espectacular.

Capítulo 11
El clima horrible

Fénix y yo continuamos el viaje por cincuenta (50) millas. Durante un tiempo viajamos por el río. Miro el agua y las fuertes corrientes que hay por la lluvia. Miro las montañas y los hermosos cañones, que son del color del cobre[45]: un poco café y un poco anaranjado. Es un día muy bonito. Estoy muy feliz.

Después de una hora de viaje, hay menos sol y muchas más nubes. Nubes grises y oscuras[46]. Empieza a llover.

Llueve mucho y fuerte.

El camino es difícil, pero sigo[47] con mi viaje. Fénix y yo vamos bien, pero, en un instante, se hunde[48] la tierra.

¡Un derrumbe[49]!

---

[45] cobre: copper.
[46] oscuras: dark.
[47] sigo: I continue.
[48] se hunde la tierra: the earth falls away.
[49] derrumbe: landslide.

Y no es un derrumbe pequeño. No veo nada del camino. Me da pánico.

—¡Caray..., Fénix!

Fénix se cae y salto de la ella inmediatamente. Entonces veo una escena horrible: mi motocicleta baja la montaña con toda la tierra.

Yo también bajo la montaña rápido... ¡Noooooooooooo!

Capítulo 12
Un desastre

Bajo la montaña para ayudar a mi amiga, Fénix. Veo la gasolina que sale de ella... ¡Ayyyyy, noooooo! Tengo suerte de estar viva, y debo reaccionar para sobrevivir.

Pienso en Fénix y pienso en la gasolina. ¿Cómo voy a salir de aquí?

Llego hasta Fénix en cinco segundos. Trato de levantar la motocicleta, pero es difícil. Llueve mucho y hace más calor.

Trato otra vez, pero es imposible levantar a mi amiga.

¿Qué voy a hacer? Estoy en el desierto sola. Nadie sabe dónde estoy.

De mis cosas en la motocicleta saco el agua y mi carpa[50]. Regreso al lugar donde hay una intersección de caminos.

---

[50] carpa: tent.

Preparo la carpa y empiezo a esperar.

Y espero.

Y espero.

Y espero más.

Ya no llueve más, pero esta noche hace calor. Esperar es horrible.

No hay nada. No escucho nada. No veo a nadie. No hay ninguna persona.

Estoy sola.

*****

No duermo nada. Al día siguiente por la mañana, camino otra vez a donde está Fénix. No tengo fuerza. Saco mi única lata de frijoles y tomo una foto.

Regreso a la carpa para esperar más.

Y más.

Y más.

Capítulo 13
Esperar

Todavía estoy en la intersección de dos caminos aquí en Copper Canyon. Estoy segura de estar en un cerro. Pero la poca comida que tengo está en las bolsas que están con Fénix abajo. Necesito esa comida porque necesito energía. Y necesito fuerza porque es necesario buscar ayuda. No puedo pasar más días sola en el desierto. No tengo bastante comida y no tengo bastante agua. Si no busco ayuda, no voy a sobrevivir.

Antes de la salida del sol, bajo la montaña hacia donde está Fénix. Hace menos calor a esta hora del día, pero el calor es ya horrible.

Bajo con cuidado. No tengo mucha fuerza porque estoy en *shock*, por todo, por el derrumbe, el accidente con Fénix, la gasolina... Y porque estoy aquí... sola.

—Hola, Fénix. Amiga, ¿cómo estás? —le digo a mi motocicleta.

La motocicleta no responde, como siempre, pero esta vez estoy triste. Fénix no responde porque no funciona. Está en una parte baja de la montaña y no tiene gasolina. Como yo, Fénix está en malas condiciones.

El sol ya sale y el calor es horrible. Necesito subir el cerro para llegar a mi carpa. Voy a tener que descansar más.

Subir el cerro es muy difícil con el calor. Doy varios pasos y me caigo.

—¡Ahhhh! —grito—. ¡No puedo!

Me siento en el suelo[51] por unos momentos y pienso:

«Soy Chelsea. Soy mecánica y soy soldadora. Soy FUERTE. No voy a morir aquí en este desierto».

Y con esta determinación, limpio el sudor de mi cara, me levanto y termino de subir el cerro.

---

[51] el suelo: ground.

Capítulo 14
La señal

Llego otra vez donde está mi carpa. Por suerte, tengo todo que necesito de mis bolsas.

Me siento fuera de la carpa y saco el GPS. Por tres días no había[52] señal, pero hoy veo una señal fuerte en el aparato.

—¡Qué bien! —le digo a nadie—. Voy a poder mandar un mensaje a mi familia.

Mi familia es tremenda. Mis padres en particular son fenomenales. Siempre me ayudan y me apoyan. Nunca me dicen «Hija, tu plan es imposible» o «Es muy peligroso». No. Ellos me ayudan con todo, entonces les mando un texto con el GPS:

«Estoy bien. Pero estoy sola en las montañas. Hubo[53] un derrumbe. Necesito ayuda».

---

[52] había: there was.
[53] hubo: there was.

No mando un mensaje largo porque no quiero gastar la carga[54] del aparato.

Mi padre, un hombre simpático y muy inteligente, responde casi inmediatamente:

«Necesitamos información importante: tu ubicación[55], tu último hotel, nombres de personas que conociste[56]».

Tomo un poco de agua y escribo otra vez:

«Copper Canyon, cerca del camino Batopilas-Guachochi, Hotel Mary en Batopilas, habla con Catalina allí».

No estoy feliz exactamente cuando mando ese texto a mi padre, pero me siento mejor. Él es la persona que me puede ayudar.

En ese momento recibo otro mensaje:

«No te preocupes. Sé[57] fuerte. Te queremos».

---

[54] carga: charge.
[55] ubicación: location.
[56] conociste: you met
[57] sé: be.

Capítulo 15
Sobrevivir

Pasa un día.

Y otro.

Y otro.

Ahora es necesario pensar en cada uno de mis actos. Pienso: «Tengo que usar la lógica si quiero vivir».

Mi vida es ahora una serie de problemas de matemáticas y necesito pensar bien para sobrevivir. Solo tengo un litro más de agua y un poquitín[58] de comida, es muy importante prestar atención a todos mis actos.

En los cuatro últimos días, paso todo el tiempo durante el día en la poca sombra que hay en el cerro. El calor es fuerte y sudo mucho. Y sin agua, no pienso bien. Cerca de mí veo la tierra de color café y las pocas plantas que hay. En la

---

[58] poquitín: a little bit.

distancia veo las montañas de color cobre. También veo pájaros, o creo que veo pájaros. ¿Son reales?

El ruido en el cañón es tremendo. Es tremendo porque no hay ningún ruido. No escucho nada, solamente mis pensamientos. Pienso en mi situación y en mi vida:

«Estoy sola. Por primera vez en mi vida, estoy completamente sola. Antes tenía a otras personas para ayudarme. Pero ahora, solo me tengo a mí. Y tengo poder. Soy la misma persona, pero soy completamente diferente también. Soy fuerte. Voy a resolver este problema. Puedo hacerlo».

De repente[59] hay un ruido. Miro otra vez hacia las montañas. ¿Es una camioneta? ¿Viene para ayudarme?

No, no hay nadie.

Quiero tomar el resto del agua, pero en ese instante recibo un mensaje de mis padres:

---

[59] de repente: suddenly.

«¿Cómo estás? Hablamos con Martín en el hotel y con la policía. Sé fuerte. Va gente».

El mensaje de mis padres me ayuda a estar más tranquila por un momento. Les escribo:

«Estoy bien. Con mucho calor y cansada. Soy fuerte».

Mis padres están preocupados, lo sé. Yo también estoy preocupada, pero no quiero mencionar eso en el mensaje. Pienso otra vez:

«No sé si voy a vivir. Pero si tengo la oportunidad de continuar mi vida, solo voy a pensar en el futuro. El pasado es el pasado. El futuro va a ser diferente».

Capítulo 16
La llegada

Estoy consciente, pero no muy consciente.

Después de pasar mucho tiempo en la carpa (¿unos días?, ¿una semana?, no sé) estoy en muy malas condiciones. No estoy bien. Necesito mucha ayuda. Tengo poca comida y poca agua. Sí, es verdad que una persona puede vivir muchos días sin comida, pero no es posible vivir sin agua. Y no la tengo. La situación es muy seria.

Hay un ruido en la distancia. ¿Es real? No, no es real. No hay nadie aquí en el cañón conmigo. ¿Voy a morir?

Quiero cerrar los ojos, pero oigo el ruido otra vez. Ahora es más fuerte. ¿Es una camioneta?

El ruido es más y más fuerte. De repente, hay otros ruidos, voces de personas:

—¡Allí está la carpa!
—¡Abajo está la moto!
—¿Dónde está la muchacha?

En ese instante una persona abre la carpa y me ve.

—¡Aquí está! Está mal —exclama y me dice luego—: Señorita, estamos para ayudarla. Aquí tiene agua y Gatorade. Tome despacio.

Sé que estoy en muy malas condiciones y voy a necesitar atención médica, pero estoy tranquila también: ya no estoy sola. Conozco a nuevas personas. La conexión humana.

Epílogo

¡Uf! ¡Qué experiencia!

Ahora estoy en una clínica local. Estoy mucho mejor y ahora puedo pensar bien. De esta experiencia aprendí[60] muchas lecciones:

1. Sí, soy fuerte. Soy muy fuerte. Soy fuerte físicamente y soy fuerte mentalmente también. Puedo seguir con mi plan de viajar por el mundo.

2. Viajo sola, pero no estoy sola. Hay gente simpática y buena en todas partes del mundo. Pienso en mis amigos en todas partes de los Estados Unidos y ahora pienso en todos mis nuevos amigos mexicanos. Debo tener siempre buenos amigos en todas partes.

3. Necesito prepararme bien y necesito considerar todos los caminos que quiero conocer. Soy fuerte, pero tengo que ser

---

[60] aprendí: I learned.

responsable también. Si quiero viajar por caminos solitarios en áreas rurales, voy a tener que ir con otra persona.

Ya estoy lista para continuar mi viaje, mi plan y mi proyecto. El proyecto Unus Mundus es una idea real y fuerte. Yo también.

Y hoy es el primer día del resto de mi vida.

GLOSARIO

A

a - to, at
abajo - below
abrazo - hug
abre - s/he, it opens
accidente - accident
acero - steel
actos - acts
adiós - good-bye
agua - water
ahora - now
aire acondicionado - air conditioning
al - a + el
algo - something
allí - there
almuerzo - lunch
alto - tall
amable - kind
ambiciosa - ambitious
amiga/o(s) - friend(s)
anaranjado - orange
anoche - last night
antes - before
antipática - mean
años - years
aparato - apparatus
apoyan - they support
aprendí - I learned
aquí - here
arte - art
artista - artista
así - so
atención - attention
atracciones - attractions
audiolibros - audiobooks
aunque - though
autopista - highway
ayuda - s/he, it helps
ayudan - they help
ayudar - to help
ayudarla - to help her
ayudarme - to help me

B

baja - s/he, it goes down
baja - low
bajo - I go down
banco - bank
barba - beard
barco(s) - ship(s)
bastante - enough
baño - bathroom
bien - well
bigote - moustache
bolsas - bags
bonito - pretty
botas - boots
breve - short

buen/a/o(s) - good
buscar - to look for
busco - I look for

C

cada - each
(se) cae - s/he, it falls
café - brown
(me) caigo - I fall
caliente(s) - hot
calor - heat
cámara - camera
cambio - change
camino(s) - road(s)
(en) camino - on the road
camioneta - truck
cansada - tired
cara - face
caray - darn it!
carga - charge
carpa - tent
carros - cars
casa(s) - house(s)
casco - helmet
casi - almost
cañones - canyons
cañón - canyon
cemento - cement
cena - dinner
centroamérica - Central America
cerca - close
cerrar - to close
cerro - hill
chaqueta - jacket
cinco - five
cincuenta - fifty
ciudad - city
claro - of course
clima - weather
clínica - clinic
cobre - copper
colaboración - collaboration
comentarios - comments
comida - food
como - like, as
cómo - how
compartir - to share
compañía - company
completamente - completely
comprar(lo) - to buy (it)
comprendo - I understand
computadora - computer
con - with
concentración - concentration
condiciones - conditions
conectar - to connect
conexión - connection
conmigo - with me
conocer - to know

conociste - you met
conozco - I know
consciente - conscious
considerar - to consider
construcción - construction
contactarnos - to contact us
contactos - contacts
contenta - content, happy
contigo - with you
continuamos - we continue
continuar - to continue
conversación - conversation
correo - mail, email
corrientes - currents
cosas - things
creadora - creator
crear - to create
creo - I believe
cruzar - to cross
cuando - when
cuatro - four
(ten) cuidado - (take) care
culturas - culture
cuídate - take care

D

da - s/he, it gives
de - of, from
debajo - under
debería - s/he, it should
debo - I must
decido - I decide
del - de + el
depende - s/he, it depends
derecha - right
derrumbe - landslide
desayuno - breakfast
descansamos - we rest
descansar - to rest
descanso - I rest
desierto - desert
despacio - slow
después - after
destino - destination
determinación - determination
día(s) - day(s)
dice - s/he, it says
dicen - they say
diferente(s) - different
difícil - difficult
digo - I say
dinero - money
dios - god
distancia - distance
distracción - distraction
donde - where
dónde - where

dos - two
doscientas - two hundred
doy - I give
duermo - I sleep
durante - during
duro - hard, difficult

E

el - the
él - he
ella - she
ellos - they
emergencia - emergency
emocionada - excited
empezamos - we begin
empezar - to begin
empieza - s/he, it begins
empiezo - I begin
en - in, on
encanta - it is really pleasing to
encantan - they are really pleasing to
energía - energy
enojado - angry
enorme - enormous
entiende - s/he understands
entonces - then
entra - s/he, it enters
entrar - to enter
entro - I enter
entusiasmo - enthusiasm
equipo - equipment
eres - you are
es - s/he, it is
esa/e/o - that
escena - scene
escribe - s/he writes
escriben - they write
escribe - I write
escríbanme - write me
escucho - I listen to
español - Spanish
especialmente - especially
espectacular - spectacular
espera - s/he waits for
esperar - to wait for
espero - I wait for
espíritu - spirit
esta/e - this
estado - state
Estados Unidos - United States
estamos - we are
está - s/he, it is
están - the are
estar - to be
estas - these
estás - you are
este - this

estoy - I am
estúpida - stupid
exactamente - exactly
excelente(s) - excellent
exclama - s/he exclaims
experiencia - experience
explica - s/he explains
explorar - to explore

F

familia - family
famosos - famous
fantástico - fantastic
(por) favor - please
feliz - happy
fenomenal(es) - phenomenal
fin - end
foto(s) - photo(s)
frijoles - beans
frontera - border
frío - cold
fue - s/he was
fuera - outside
fuerte(s) - strong
fuerza - strength
funciona - it functions
futuro - future
fácil - easy
físicamente - physically
físico - physical

G

ganar - to earn
garaje - garage
gasolina - gasoline
gasolinera - gas station
gastar - to spend
generosas - generous
gente - people
grabar - to record
gracias - thank you
gran - great
grande(s) - big
grises - gray
grito - I yell
grupo - group
guerras - wars
guitarrista - guitarist
gusta - it is pleasing to
gustan - they are pleasing to
guste - it is pleasing to
gusto - pleasure

H

habitantes - inhabitants
habla - s/he speaks
hablamos - we speak

hablar - to speak
hablo - I speak
había - there was, were
hace - s/he, it does, makes
hacen - they do, make
hacer(lo) - to do, make (it)
haces - you do, make
hacia - toward
hacía - it made
hago - I make
hambre - hunger
hasta - until
hay - there is, are
hermana - sister
hermosas/os - beautiful
hija - daughter
hola - hello
hombre - man
hora(s) - hour(s)
hoy - today
hubo - there was, were
humana - human
(se) hunde - it falls away

I

idiota - idiot
importa - it matters
importados - imported
importante - important
imposible - impossible
independiente - independent
industria - industry
influencia - influence
información - information
inglés - English
inmediatamente - immediately
inspiración - inspiration
instante - instant
inteligente - intelligent
interesante(s) - interesting
intersección - intersection
investigar - to investigate
invitarnos - to invite us
invité - I invited
ir(me) - to go

J

jefe - boss
jueves - Thursday
juntos - together

L

la(s) - the
lado - side
largo - long
lata - can
lecciones - lessons
lejos - far
levantar - to raise
(me) levanto - I get up
libros - books
limpio - clean
lista - ready
litro - liter
llama - s/he, it calls
llaman - they call
llamarla - to call her, it
llega - s/he, it arrives
llegamos - we arrive
llegar - to arrive
llego - I arrive
llover - to rain
llueve - it rains
lluvia - rain
lo - him, it
locas - crazy
los - the, them
luego - later
lugar(es) - place(s)
lógica - logic

M

madre - mother
magnífico - magnficent
mal - badly
malas - bad
mamá - mom
mandar - to send
mando - I send
maravilloso - marvelous
matemáticas - math
mañana - morning, tomorrow
mecánica/o - mechanic
media - half
mejor - better
mencionar - to mention
menos - less
mensaje(s) - message(s)
mentalmente - mentally
mexicana/o(s) - Mexican
mi(s) - my
miedo - fear
mil - thousand
millas - miles
minuto(s) - minute(s)
mira - s/he looks at, watches

mirar - to look at, watch
miro - I look at, watch
misma - same
molesto - annoyed
momento(s) - moment(s)
montar - to ride
montaña(s) - mountain(s)
monto - I ride
morir - to die
moto - motorcyle
motocicleta(s) - motorcycle(s)
motociclista(s) - motorcyclist(s), biker(s)
moviendo - moving
mucha/o(s) - much, many
muchacha - girl
mujer - woman
mundo - world
muy - very
más - more
médica - medical
mí - me
música - music

N

nada - nothing
nadie - no one
natal - native
necesario - necessary
necesitamos - we need
necesitar - to need
necesito - I need
nerviosa - nervous
ni - neither, nor
niebla - fog
nieve - snow
ninguna - none
ningún - none
noche(s) - night(s)
nombre(s) - name(s)
normalmente - normally
norte - north
nubes - clouds
nublado - cloudy
nueva/o(s) - new
nunca - never

O

o - or
obras - works (of art)
ocho - eight
octubre - October
oeste - west
oigo - I hear
ojos - eyes
opinión - opinion
oportunidad - opportunity
organizo - I organize

orgullosa/o(s) - proud
oscuras - dark
otra/o(s) - other

P

padre - father
padres - parents
página - page
pájaros - birds
palabras - words
pánico - panic
papá - dad
para - for
paro - I stop
parte(s) - part(s)
pasa - pass by, it passes
pasado - last
pasamos - we spend
pasar - to spend (time), pass
paso - I spend
pasos - steps
país(es) - country(ies)
peligrosa/o - dangerous
pelo - hair
pensamientos - thoughts
pensar - to think
pequeña/o(s) - small
perder - to lose
pero - but
perro(s) caliente(s) - hot dog(s)
persona(s) - person(s)
piensas - you think
pienso - I think
pierdo - I lose
piso - floor, ground
plan(es) - plan(s)
plantas - plants
poca/o(s) - little
poder - to be able
policía - police
poquitín - a little bit
por - for
porque - because
posible - possible
pregunta - s/he asks, question
pregunto - I ask
preocupada/o(s) - worried
preocupes - you worry
preparado - prepared
preparar(me) - to prepare (myself)
preparo - I prepare
prestar - I borrow
primer/a/o - first
problema(s) - problem(s)
proceso - process

producción - production
proyecto - project
próxima - next
pueblo - town

puede - s/he, it is able
pueden - they are able
puedes - you are able
puedo - I am able
puente - bridge
pues - well, then

Q

que - that
qué - what
queremos - we want
quiere - s/he, it wants
quieren - they want
quieres - you want
quiero - I want
quince - fifteen
quito - I remove

R

razón - reason
reaccionar - to react
real(es) - real
realidad - reality
realmente - really
recibo - I receive
región - region
regresar - to return
regreso - I return
relación - relationship
reparar - to repair
(de) repente - suddenly
resolver - to resolve
respeta - s/he, it respects
responde - s/he it responds
respondo - I respond
responsable - responsible
resto - rest
ricos - delicious
rubio - blond
ruido(s) - noise(s)
rurales - rural
ruta(s) - route(s)
rápida/o(s) - fast
río - river

S

sabe - s/he knows
saco - I take out
sale - s/he leaves
salgo - I leave
salida - exit
salimos - we leave
salir - to leave
salto - I jump
sé - I know

seas - you do
seguir - to follow
segunda/o(s) - second(s)
segura - safe
semana(s) - week(s)
ser - to be
seria - serious
serie - series
señal - signal
señorita - miss
si - if
sí - yes
siempre - always
(me) siento - I sit, I feel
siglo - century
significa - it means
sigo - I follow
siguiente - following
simplemente - simply
simpática/o - nice
sin - without
situación - situation
sobre - about
sobrevivir - to survive
sol - sun
sola - alone
solamente - only
soldadora - welder
soldadura - welding
solitarios - alone
solo - only
sombra - shadow
somos - we are
son - they are
sonrisa - smile
sorpresa - surprise
soy - I am
su(s) - his/her/their
subir - to climb
Sudamérica - South America
sudo - I sweat
sudor - to sweat
suelo - ground, floor
suerte - luck
superfeliz - really happy
supersimpática - really nice
sur - south

T

talentos - talents
también - also
tatuajes - tatoos
teléfono - telephone
ten - have
tenemos - we have
tener - to have
tengo - I have
tenía - I, s/he, it had
terminado - finished
termino - I finish
texto - text
ti - you
tiempo - time
tienda - store
tiene - s/he, it has

tienen - they have
tienes - you have
tierra - land, earth
toda/o(s) - all
todavía - still, yet
toma - s/he, it takes
tomar - to take
tome - s/he, it takes
tomo - I take
tormenta - storm
trabajar - to work
trabajo - I work; job
traducción - translation
traduce - s/he translates
tranquila - calm
tranvías - trolleys
trato - I try
tremenda/o - tremendous
tres - three
trescientas - three hundred
triste - sad
tráfico - traffic
trípode - tripod
tu - your
tú - you
turísticas - touristic

U

ubicación - location
última/o(s) - last
un/a - a, an
unas/os - some
única - only
universidad - university
uno - one
unos - some
usar - to use
uso - I use

V

va - s/he, it goes
vamos - we go
varios - various
vas - you go
ve - s/he, it sees
veces - times, instances
ven - come
veo - I see
verdad - truth; true
verte - to see you
vez - time, instance
viajamos - we travel
viajar - to travel
viaje - trip
viajera - traveler
viajo - I travel
victorianas - Victorian
vida - life
viene - s/he, it comes
visitar(nos) - to visit(us)
viva - alive
vive - s/he, it lives
vivir - to live

voces - voices
voy - I go
voz - voice

Y

y - and
ya - already
yo - I

ABOUT THE AUTHOR

Jennifer Degenhardt taught high school Spanish for over 20 years and now teaches at the college level. She realized her own high school students, many of whom had learning challenges, acquired language best through stories, so she began to write ones that she thought would appeal to them. She has been writing ever since.

Please check out the other titles by Jen Degenhardt available on Amazon:

La chica nueva | La Nouvelle Fille | The New Girl
La chica nueva (the ancillary/workbook volume, Kindle book, audiobook)
El jersey | The Jersey | *Le Maillot*
La mochila / The Backpack
Moviendo montañas
La vida es complicada
Quince
El viaje difícil | *Un Voyage Difficile*
La niñera
La última prueba
Los tres amigos | Three Friends | *Drei Freunde* | *Les Trois Amis*
María María: un cuento de un huracán | María María: A Story of a Storm | Maria Maria: un histoire d'un orage
Debido a la tormenta
La lucha de la vida / The Fight of His Life
Secretos
Como vuela la pelota

Follow Jen Degenhardt on Facebook, Instagram @jendegenhardt9, and Twitter @JenniferDegenh1 or visit the website, www.puenteslanguage.com to sign up to receive information on new releases and other events.

ABOUT THE AUTHOR

[illegible]

Made in the USA
Monee, IL
04 September 2024